KB096395

너도 꽃

나미래 시집

너도 꽃

발 행 | 2024년 1월 5일
저 자 | 나미래
펴낸이 | 한건희
펴낸곳 | 주식회사 부크크
출판사등록 | 2014.07.15.(제2014-16호)
주 소 | 서울특별시 금천구 가산디지털1로 119 SK트윈타워 A동 305-7호
전 화 | 1670-8316
이메일 | info@bookk.co.kr

ISBN | 979-11-410-6207-1

너

도

꽃

나미래

시인의 말

그동안
시인의 말을
옮기지 못하고
그렇게 그렇게
흘러가며 지내왔습니다.

간혹
멈춰있으라는
소리가 들리더군요.
먼 곳의 선친에게
여기 이 모든 詩를 바칩니다.

2023년 겨울
나미래

너도 꽃

차례

시인의 말

1부 꽃씨를 찾아가다

2부 산벚꽃이 피었다

3부 너도 꽃이었다

1부

꽃씨를 찾아가다

혼자서

하늘이 놀자고 했다
혼자라 하니
백신의 길을 걱정해주었다
바랜 흙빛
밟아내던 여인 옆
파스타의 향이 자리 잡는다
창문으로 향했던 생각이
날아오른 구름이
정을 담아 말을 걸더라
기다리면
흔들리면
눈꽃이라도 날려줄 거라고
누군가가 그리워도
말을 아끼는 기다림
이유 없이 생각을 흘릴까
눈길을 피하는
여인 속의 여인이여.

너는 딸

집에 가고 싶지?
금산 말이야
기억하고 싶지?
말하고 싶지?
살갑게 옮기지 못한
문장들을 어떻게 들려줄까?
종이에 말을 옮기고
멈춰있는 생각은 들춰내고
아버지가
웃어내는 봄을 상상한다
당신의 몸 안에서
게으른 봄의 살갗을 찾아내겠지
진취적이지 않아 숨어버리고
뚜벅이의 겨울이 찾아낸
아버지의 기억 밖
너는 딸.

성장

달려온다
겨울바람 몇 개 태우고

소리친다
단풍 낙엽 밟지도 않았는데

읊조린다
흔들리는 말을 잡아주라고

이해한다
어른이 잡지 못하는 속내라고

읽어낸다
너의 손을 잡았던 그 용기라고.

눈길

눈을
감아도 좋았다
문틈 사이로
눈꽃 소식 보내왔으니
열꽃 향한 바람은
지붕에서 되돌아왔지
하얀 길
보듬는 것은
아직 이르다고
어김없이 도착한
겨울 소식 앞에
눈길을 주고 싶었어
다시 비워내는 즐거움.

목백일홍

꽃잎
숨소리
여름을
간질인다

꽃잎
태우는
바람 하나
가지 뒤에 숨네.

산동이의 여행

제주도 북쪽 하늘의 반을 차지하는 김녕
서쪽 한림읍에서 동쪽 구좌읍까지
파도 대신 바람을 타는 해안도로가 있다

바다를 빛내 주는 옥색 파도는
흔들리는 사람들을 위로하고
바람개비 발전기의 외로움도 달랜다

갯내음 높게 타는 낮은 코 산동이는
잿빛 세상의 바다에 짐짓 놀란 듯
짧은 다리 올리기만 바쁘다

아득히 떨어지다 눌러앉게 된 현무암 조각
달려가지 못하고 작은 섬 곁에 남아
산동이에게 바스러지는 가을 길을 알려준다.

아버지는

당신에게
외로움의 바람은
아직 깊게 들지 않았다

자식들만
당신의 바다를
서성이며 허공과 대화하지

당신은
우리들의 색을 잃었지만
외톨이가 아니다.

입원

시간이 멈췄다
깊은 길 따라
영혼을 밀친다

외로운 산봉우리에
가을이 묻어둔
물안개를 만났다

새벽이 아리다
초록 길목 돌아
아버지가 찾아왔다

밤길을 내려놓고.

매일

우주는
너를 중심으로

돌아 돌아
너에게로 가는 길

침대에 오른
이슬이 전해주는 말

찰나의 순간도
날이 간다.

붉은 추억

움츠렸던
세포가
바스락거렸다

그 남자와
나 사이의
침묵 속에서

동백꽃의
붉은 심장을
보여주었다

그 꽃 사이에서
감싸고 어루만지던
추억을 나누었네.

길

갈 길이 멀었다

옳은 길 점지하지 못하고

나 혼자 살기 바빴다.

새끼

열린 입
당신에게
간식을 올린다

당신의
큰 귀에게는
詩를 먹이고

아린 계절
태풍 속에
큰비를 피했지

어미새는
모이를 뿌렸다
세 살 당신에게.

비에게 당부의 말

오려거든 서서히 달려오라 힌남노[1]여
떠나려면 뒤돌아보지 말고 사라지길

항생제는 아버지를 꿈과 현실로 옮기고
너는 밝아지지 못해 눈빛이 흔들렸지

요양원 창밖 하늘에 비 그림을 그리던
포플러나무 잎이 너무 세심해서 울리더니

속을 내어놓고 싶어 나를 부른 것일까
갈 길을 잃은 이를 보듬고 위로하라고.

---

1) 힌남노는 2022년 제11호 태풍으로 8월 28일에 발생하여
   9월 6일 온대저기압으로 변하여 소멸하였다.

자유

여식을 알지 못해도
곁을 지키는 이와
그곳에서 하루가 간다

꽃눈개비 같은
반짝 시절도 있었으리라
작지 않은 발을 안고
굳은 다리가 이제 외친다

아야
아~

마음 놓은 장기들
잔소리를 남겨놓고
아비는 침대 위에서
말귀를 알아듣지 않아

울부짖는 것은
고독한 자존심
세상을 속이지 못한
당신의 기억만이

구름발치에서
놀고 있는
아버지의
자유를 만났다.

신호

클레마티스가
여주인 옆에서
나이 먹어 간다

한번씩
젊음이 그리워
봄을 믿겠구나

길어진 태양
꽃잎의 주름
일어나리라고

중년의 시간이
봄의 가지에
잠시 걸리겠지.

2부

안갯길을 걸었다

퀘렌시아(휴식처)

머리가 흩어질 때
눈동자가 헤맬 때
어지러운 손동작을
탓하지 말라

거울에 비치고 만
그대의 마른 얼굴
웃음이 아파할 때
세상을 탓해도 좋다

흩어다니는 낙엽을
거들떠보지 않는
자연을 탓하지 말라
너는 나무 그 자체이니까

볼 것만 보라고
노안을 뿌려준

휴식의 시간을 싣는
봄의 씨앗을 탓하지 마라

나의 휴식처
달달한 차 한 잔에
찬바람 위에 앉아
춤을 추는 아침나절.

자장매(홍매화)

가득 올린

봄의 꽃잎

얼굴 몇 개

봄길 헤매다

다시 찾으라.

느낌

열꽃을 피우면서
그렇게 노란 꽃이 되었다

그는 우리에게
인사를 보내나 보다

힘이 붙으려나
겨울바람 앞에

봄이 시렵다
눈물이 아프다.

복귀

찾았다
흐르는 피의 관

가족들은
다시 제자리로 돌아왔다

우리 마음 편하자고
병원에서 부르는 기본 챙기고

각자 가슴속엔
무거운 돌 열쇠 채워두고

당분간 기다려줄
응급조치 성공의 찰나

생명의 줄
조금씩 잡고 있는 시간

놔야 할 시간은
가까이 와 있는데

당신의 시간 앞에
불콰한 눈시울만.

산벚꽃

동네 뒷산에 벚꽃이 피었다
누군가는 짐짓 봄빛에 눈시울 적셨겠다
관심을 보이지 않는 이가 있어도
산벚꽃은 분홍새의 사랑을 받고
푸릇한 산바람을 걸치고 있다
참나무는 꽃을 내치지 않았겠지
너의 향기로 숲은 용기를 얻고
울창한 숲을 만들어내며
쏟아놓은 봄의 열정을 기억하고 싶다
찻길 소리에 시달리는 봄의 숲은
꽃바람을 덮고 소음 천국을 외면한다
홀로 있다 외로워 말아
내 그대에게 변치 않은 시선으로
집으로 돌아가도 기억하리.

행락

눈을 펴보며 걸어본 새벽길
숫자 놀음에 바쁜 남자들은
감상을 논하기에 마뜩하지 않다고
길은 걸어가기만 해야 하는지
시월의 마음을 데리고
외출을 시작한 사람들
낙엽보다 더 붉게 모였다
버스는 온기로 가득한
아침 시간을 내어주고
주차장은 미리 겁을 먹었다
말을 아끼는 사람들 속에
근황을 묻는 숨겨진
숨찬 함성이 삐져나온다
기다린다 기다린다
설악산을 토닥이며.

안갯길

온통 시무룩한 상태다
걸음이 잦아든 곳
사람들은 풀벌레 소리를
꿈속에서 만나고 있겠지
낙엽은 아침을 끌어안지 못하고
흔들리는 이름과 인사 나누며
어제의 그 맥주 청량함은
온몸이 갈등으로 사무쳐
오늘의 안갯길을 나누지 못했다
감탄사와 함께하며
언어로 표현할 수 없다며
수다를 먹었을
휴일의 표현이여
쉬어가는 걸음 속에
안개 향은 종종거리네.

두 남자

짝꿍으로 걷는다
어깨를 타고 온
사춘기 아들과
친구가 되었다
동료가 되기도
바람에 나부낀
마음을 줍고
시사에 지쳐
길게 늘어선
이들의
시선을 받는다
이렇게도
부지런한 사람들
중천을 향해 달리는
설악 바람의
행방을 찾는다고
가을 홍수 속

인파를
구출하고 만다
가을의
마음을 얻으려
달려온 이들에게
미안함을
던져주는 가을 설악.

당신의 고향

꽃섬 사이 해돋이 가볼까 말까? 1월
굼뜬 고무신 발로 수도꼭지 단속하던 때

언 땅에서 돋아오른 매화꽃 2월
살얼음 뱃머리의 바닷가 방파제 가는 길

노란 햇살 움트는 3월
푸른 바람 일고 있는 텃밭의 사연은 복잡하지

안개를 걷어내는 온화함 받는 4월
윤슬이 찰랑이는 바닷일 한가하고

모란꽃 피는 시골 정원 5월
늙은 모란 뿌리 분주해 건네던 당신
그 나눔이 딸아이 정원 뜰에서 붉은 피를 쏟는다

맹렬한 여름을 준비하는 감나무 그늘 6월
벼가 자라는 논은 흐뭇한 마음의 고향

삽자루 들고 들판과 논길 헤매는 7월
치매 속에서 논밭 평전길을 찾아가던 계절

열기 붙는 푸른 바닷가 8월
겨울 김발대 준비는 감나무 그늘에서

옥빛 바다가 달려오는 9월
문어가 날렵해지는 시간을 잡기도 해

방파제 배를 단속하는 10월
찬바람 언덕을 오르락내리락 그것도 산책길이 되지

김발이 찰랑이는 11월
흐뭇한 표정으로 바람과 엮어지겠지

추워, 추위, 춥기는 12월
갯바람은 파도의 성지에서 미소를 짓는다네

아버지 뼈대 속으로
굵직한 삶의 지혜를 던져준 자연의 속내
바다에 겸손함을 뿌린 아버지의 고향.

꽃향기 속

당신의 심장엔
아직도 붉은 피가 속삭이겠지
탄탄하게 꼬인 골격들 사이
세포들이 이제 자연으로

꽃과 꽃 사이에 누워
당신이 사랑한 몸을 보았겠지
어떤 기분이었을까?

웃고 있는지 아파하는지 모를
그 사각형 틀의 얼굴은 무표정
열정이 통하던 모습이 스치더이다

국화꽃과 친구가 되어 가시다니
순백의 길, 한지의 살랑거림
그 꽃들마저
당신을 위로하는 것 같았어

가을에 무르익을 꽃들을
항아리에 미리 숨겨두고
그 꽃들이 날개 달아
당신 곁으로 왔나 봐

당신은 평생
마음 놓은 코끝에서
꽃향기 한번 맡아봤을까?
우리 아부지
꽃이불 온몸에 덮고 가네.

침묵

그의
보금자리가 보였다

그는
작은 침대에 익숙했지

그의
하늘에 고향 향기 남기려

그의
발톱과 손톱도 그대로였나

그는
그렇게 침묵으로 돌아갔다

그는
아침을 넘기지 못하고

이제는
끼니 거르지 말기를

그대의
마지막 꽃밥상.

겨울비

먼 길 돌아갔다 왔구나
아주 가까운 집에서
당신은 나를 위해
선물 보따리 내려보냈어
당신이 흘리지 못한 눈물일까.

시를 찾았다

아버지가 나에게 말을 건다
깊은 심지 속에서 타는
맑고 푸른 언어를 찾아가라고
보름 동안 아버지만 찾았던 시간
이젠 책을 읽는 시간을 찾으라 한다
다시 생각을 버리는 명상을 잡으라 한다
빛나지 않았던 기도에도 지치지 말고
너의 심지 안에서 속삭이는 언어를 찾아
밝게 응원하고 세심하게 손질해서
너의 무지개색을 곱게 뿌려보라고.

대추나무

열 바람
끝에 걸렸다
그 바람
어디로 갔는지
말도 없다
붉은 볼
치장 중에
이별하게 된
자식들이
애처러워
한가지 꺾어
이불을 만들어주네.

비가 내린다

비가 내린다
2층 창문 옆 나의 작업실
그 곁으로 살금살금 소리를 흘린다
친구는 잠깐 멀어졌다고 하니
이 빗소리 혼자 들으라 한다
그래도 오늘을 함께 듣고 싶다
흐느적거리다 가을거리고 싶다고
우렁차게 달려오는
기침하는 건들장마에
속마음을 내어놓네
지천명의 시절 인연은
내 품에서 서로서로 인사를 나누니
두근거림은 그냥 너야
네가 비가 되어 나를 찾는구나.

지각

차가 빨라?
아니야!
버스가 빨라?
아니야!
전철이 빨라?
그래
계속 그래라
어차피 늦었다
핑계야!

고민

형용사를 채워서
명사를 만들 것이냐?
홀로 명사를 만들 것이냐?
주어를 넣어 마음을 전할 것이냐?
주어를 숨겨 너를 혼자만 만나야 할까?
비상금 찾듯 단어들 꺼내 문장을 만들까?
아니다 어딘가 떠돌고 있을
책장 금고 속에 숨겨놓은 시를 찾아야겠다.

촬영

달려갈 거야
엄마를 뺏길 것 같아
고개를 올릴 테니
나를 바라봐 줘
눈치는 몰라
나를 잘못 키웠다고
키를 재봐도 무릎 사이
내가 주인공이 될 테야.

걱정

봄바람은 어디에 멈춰있나?
무거운 엉덩이가 가벼워지고 있는데
시절(時節)의 신뢰로 열어낸 길 위에

응급실로 실려 간 나의 친구
밤바람 이슬의 잔소리 듣고
혈관 타는 진통제를 의지했다고

외로운 사람들의 한(恨)은
꿈속의 장면에서 직감을 하지
돌 알맹이 새벽을 깨워 모래를 만들었다네

새 시작의 알림이었다
절벽 가슴에서 어미새 날갯짓하며
야생화에 부딪치는 진한 파도를 읽었네

걱정 풀어보려 봄바람 따라가야겠다고.

칭찬

각, 선, 곡이 몇 면의 그릇에 모였다
너의 마음도 꼼꼼하게 표현했어
온전히 밝히지 않은 너의 감정도 알리고
공간과 시간 속 풀어내는 어휘를 돌아본다
너의 가족 이야기가 글 속에서 움직인다
고요하게 정돈된 자연의 향기가 묻어난다
화려하지만 온순한 도시의 그림자도 그려내고
가을 오솔길에 즐거운 마음을 줍는 손길이 보인다
너를 몰래 훔쳐보고 나를 반성한다
나의 일을 그려내야겠다 하루라는 스케치북에.

어느 이른 봄날

상징이 외로운 해변은
푸른빛으로 바람을 일으키며

파도의 심장은 감성을 채워주고
가정의 마음들은 봄볕이 들도록

꼬르륵 소리에 맞춰
양념은 돼지국밥을 완성하고

옛것과 새것이 만나는 해운대시장은
웃어야 하는 이유가 숨어 있다

50년이 넘었다는 호떡집
늘어진 줄이 거쳐 간 세월을 토닥이는 듯.

오늘

자주 오고 싶다고 말했었지
너의 마음을 푸르게 바꿔놓는 곳
나의 마음도 너를 따라 움직이고 있어
파도 꽃비 흩날리는 김녕바닷가
물새는 봄비에 날개가 촉촉하고
화산석 찻잔의 태풍 속엔
해초를 품어놓은 겨울이 시샘한다
첨벙거리는 발자국을 만나니
돌아서서 웃어주는 하얀 파도
우산 속에 펼쳐진 작은 우주에서
너와 나 우리들이 오늘을 빛낸다.

그래서 글이 남는 바다

오감을 흔들며 다시 시인으로 깨운다
시골과 도시의 물길을 눈치껏 달라지게 하고
그런 바다를 놓치기 아까워 눈꺼풀 힘껏 올리네

엄마는 멀리 돌아가는 시간에 앉아서는
"왜 가까이 있는 이 바다를 오래 걸려 왔을까?"라고
그것은 제주의 모습이기도 고향이기도

마음답지 않게 엄마의 다리는 쉬고 싶다고
한림공원의 너른 꽃밭이 한숨으로 꺾어지고 만다
유모차와 엄마가 마음 내려놓는 그곳으로 다시.

3부

마음을 열다

추억담

왜 그리 계단은 높았던 거야
다리 올리는 그 기계는 보이지도 않고
마음속 울림은 그녀만의 몫이었지
'나는 왜 이리 나이를 먹었나'하고
누구의 잘못도 없는데 슬퍼지려 하다니!
회한이 들어앉아 딸들에게 의지를 한다
그래도 그녀의 딸들 아니었다면
그 높은 뱃길 계단 어찌 오를 수 있었을까
직원들이 달려오려나? 아니다
도우려는 이들 가족이어서 다행이다
배 안의 유일한 희망 에스컬레이터는
사람들을 피해 숨어 있더군
아, 나이 들어 슬픈데 사람들은 관심 밖이다
엄마의 머리에
이른 봄비가 여행을 반기고
뱉어내는 입가의 한숨에
살랑살랑 봄바람이 토닥인다.

공짜 행복

제주의 고유명사
유채꽃은
봄을 기다렸겠다

빛을 이어주는
하얀 나비는
사랑꾼이 되어 있더군

심장을 그려내는 꽃밭

엄마의 의지를
따르지 않는 다리
차 안을 사랑하고 말아

시골의 향수
몸으로 발라낸
바지락 캐기 진심이어라

호미를 구하자!
갯벌로 나아갈 듯
기쁨에 차고선

혼미한 봄을 위해
엄마 대신
봄비 한 사발 들이켜며.

퍼플프린스(클레마티스)

어느 봄을 앞두고
너의 꽃을 소개받았지
어여쁜 시민의 꽃이라 했다

지나간 어느 날은
어설프게 피지 않는 꽃잎이
나를 표현하나 싶었다

겨울을 볶아낸 샛바람에
마음 둘 곳 없었던 우리에게
봄이 오니 꽃은 피어난다고 했다

주변의 꽃은 피어났기에
봄이 살포시 숨어 있다고
눈빛을 보내고 있었는데

움직이지 않는 혈맥이

심장의 모양을 짓누르고
너의 마음을 불콰하게 태우고

우리의 파란 세상
다시 시작하겠노라고
새롭게 왕좌에 오르고 싶다고.

애니시다(레몬꽃)

웃음 짓던 날이 있었다

짐짓 무거운 바람이라고
너를 위로할 때도 있었다

어느 골목길 돌아
봄빛 빚어내는 노고에도

그대만 모르고 있었다

알알하게 다가오는
어느 날의 한숨을

눈치 없이 봄에게 웃음을 보냈다

푸른 기억 부스며
깨어나지 못한 진심을 알아줘

바람의 깊이에
값을 치러야만 했다

마지막 꽃샘의 문턱 앞에서.

오늘은 바람과 비

햇살은 숨어서
겨울을 쓸고

바람은
길을 잃은 모양이다

내적 갈등이
일어난 꽃들에게

친구가 되자 하는데
가만두질 않는다

꽃받침 클레마티스
햇볕에 그을러 간다

그림자 맺히지 않게
도톰한 솜털 봄비로 일어나라.

우리의 휴가

친구처럼 다가갈 수 있을까
웃음이 넘치게 해야겠지
서운함이 없도록 마음을 열고
서로의 일을 존중하며
적당한 관계를 유지해야지
물주의 돈을 아껴 쓰고
빛날 이의 옷매무새에 관심을
내가 아닌 다른 이의
시간을 넘보지 말고
입과 귀를 열고
인정하고 고마워하자.

4월의 생각

정원의 이름을 찾아와
봄의 조각들이 넘나드는데

봄이 달궈낸
아지랑이 간질거려

사과꽃이 웃음을 날리고
하얀 볼 내밀어 자리 잡는다

가로수길 위에도
정원의 새잎 위에도

수복하게 내린 미세먼지를
정성껏 씻어내는 봄의 손님

동네 어귀 라일락 꽃밥
소문으로 추억이 쌓인다

잊고 있는 바다를 지키는
노란 나비 돌담초

떠나지 않고 제자리에서
목마름을 호소하네

잔인한 4월은
잔인하지 않는 4월을 탐내며

묻혀있는 행복을
내어놓는다 속삭여.

협재해수욕장에서

찬비에 젖어도 창문은 즐겁다
너른 모래사장으로 우리를 데리고
언젠가의 추억을 그리라 한다

그가 기록했던 비행기 노트
숫자를 잃고 애절함을 남긴 곳
희망을 피워내라 기억을 살리기도

연인들은 비린내에도
걷기 사랑을 품어내고
중년은 앉아 있고만 싶어지는데

청둥오리도 외롭지 않다네
사람들이 반갑다 손짓해도
혼자만의 길을 찾는다고

구름을 밀고 오는 저 파도
잠시만 멈추어 주길 바라지

당신이 전해주는 바다의 꽃
두 손으로 예쁘게 담아
추억의 그 남자에게 전하리.

여름

휴가를 낚는다
파란 눈의 물고기가
살고 있는 곳

아들을 낚는다
아버지 발소리가
박제된 방파제 위

하늘은
여름을 능멸하여
파도의 속살을 먹고

그렇게 그렇게
고향의 시간은
바다를 사랑하게 만든다.

단풍놀이

가을이
타 버릴까

나이 든 여자는

오래된
사색
늘어놓는다.

몽포바다 횟집에서

그렁저렁 돌고 돌아
찾아봐도 또 제자리
의식 없이 찾아온 집

저녁을 사겠다는
내 친구 두툼한 지갑에
오늘의 메뉴를 맡긴다

초밥 하나
물회를 아끼는 건
진정한 살을 위해서라고

회 한 접시에
그대의 울음소리
몇 접시를 먹어야 할까?

너라는 꽃

어차피 봄은 찾아왔고
너의 여름을 기다리다
그리움 배경 닮은 해변에 왔지

검은 찬비 내려주었나
거친 바다의 이끌림이
너의 햇볕 모음 모래밭을 서성인다

잿빛 구름 심장 안에 카메라 올리고
너의 모습을 그리고 있을 시간
잊고 싶지 않았다고 미소 짓고 있었어.

정방폭포

맑은 하늘에 이슬비가 내리네
가슴이 울고 있는 당신을 가려주려

봄바람이 만들고 간 가랑비는
활짝 핀 웃음으로 너의 마음을 위로한다

더 깊은 물길 속으로 들어가는 웃음
너의 입술을 간질이고 길을 나서는구나.

메모

책이 걸어간다
시장 가는 길에
사뭇 달라진
무게의 귀갓길
책이 앉고 싶어한다
10여 년 만에
다시 그 책을 깨우니
혼인으로 데뷔한
어제의 연정이 보인다
시모와 강렬한 시절 인연 속
우주의 점이던 아이
글감의 상대가 되었지
공자의 어머니는 무당
석가의 어머니는 왕비
플라톤의 어머니는 귀족 명문
남편의 어머니는 동네 어르신
세상의 어머니들 오늘을 키워낸다.

하얀 모란꽃에게

모란꽃을 아낍니다
어차피 4월이 되면
한번은 몸을 바쳐
정원의 가족이 되어 주죠
흰 모란꽃을 더욱 아낍니다
모르겠습니다
사연 많은 붉은빛 꽃잎보다
눈물이 고여오는 것은 왜일까요
몇 년 만에 꽃송이 하나 다가왔는데
사월에만 오는 손님
애당초 사월의 꽃은 너만이라고
가볍게 모란꽃에 다가가는
마음이었으면 좋겠습니다
낯설게 피어난 하얀 세상
오래도록 정원에 머무르면 좋겠습니다
마음은 울적하지 않은데
그리움의 조각을 건드립니다

그래도 모란꽃은 행복할 겁니다
너른 자리를 차지하지는 못했지만
꽃을 피워낼 자리 너머의
밝은 기운들을 느끼겠죠
어차피 5월이면.

소원

동해를 안은 낙산
숙소를 찾는 척
부처를 우연히 만나길

의상대의 바람에도
가지런한 소나무 사이
홍련암 마주치길

숨어서 피어나고픈
수국을 사랑한
해수관음상이여

감정을 씻어낸
옆의 남자에게
바람이 재잘거리는
소리를 듣게 하소소

해풍이 빚어놓은
고갯길로 산그림자 타는
그녀의 소원도 챙겨주오

바쁘지 않은 우리 사이
싼 커피 대신 아메리카노
라떼에 헤이즐럿 샷 추가
둘이 앉는 것도 어색하지 않게

어차피 비는 왔고
갈 곳 없는 그 남자는
기억으로 장난하며
그녀의 소원을 들어준다

그래!
너의 마음 기억
내려놓을 곳이
나였으면 좋겠다.

5월

꽃송이의 계절
도톰한 볼을 안고
지난한 시절의
생채기를 추억하고
빛나는 기운에
벌들의 웃음을
숨겨주며 자유를 얻지
꽃잎은 나비가 되기도
빗소리에 긴장하며
누울 자리 미리 읽어둔다.

엄마는

딸이 늦어도 좋다
먼 길 태엽 감아도
오늘이 가기 전에
내 딸이 웃으면서
문턱을 넘어줄 거니까
딸이 어서 가지 않기를
그늘 찾아 시간 풀고
너랑 웃으며 있고 싶다
어서 가라
어서 가
그거 다 거짓말이다.

6월의 마음

오후의 하늘이
머리 위에서 노닐기 전에

장마를 기다리다
미리 여름을 읽어내지

한 달 사이
식물들의 키는 하늘을 뚫겠네.

질투

속사포로 서성이게
포장하지 않았던
희망의 선물 바랐지

스치고 스쳐
묵혀둔 네 마음을
곱게도 펼쳐 놓기를

너의 의지는
불타오르다 꺾이고
그것을 탐하는 자만

눈빛 열고
입을 닫으니
너만의 시간이 웃고 있다.

연곡사

가거라 가거라
남도로 가거라

붉은 꽃 져버린
하얀 꽃길을 가라

봄날 바람은
계곡에 숨기고

바위를 거꾸로
오르는 숨소리

눈길만
주고 가거라

병풍의 산허리는
딴 세상 별을 만들고

핏물로 스며든
산그늘의 침묵

불타는 심경이
하얀 서리가 되어

켜켜이 쌓은
설움을 하늘에 걸었네

국보와 보물 자리
물난리가 지나갔구나

피아골 골짜기의
엄혹한 아픔을 씻기네.

바이올렛

다리 짧은 산동이 앞에
그를 닮은 꽃이 찾아왔다

잊고 있었던 화초 손님
도톰하고 푸른 잎들의 행진

보랏빛 물들여가며
꽃 그림자 만들어내겠지

겨울 창가에선
그네 타는 햇살이 그립다고

물방울 하나 튀겨 내고
구름자리 마련하는 솜털

아픈 살결 숨기고
봄이 날아오는 능력.

고백

금요일은 밤이 좋다
이웃들도 좋아한다
인공 빛도 행복하대
술잔이 오가는 시기
웃음도 기웃거리다
무장해제가 되기도 하지
벽이 붙어있는 집은
소리도 흥분해서
저녁을 즐겁게 반긴다
골골대는 몸과 머리에
진동이 전해지니
갱년기가 울기 시작했다.

어느 가을에

귀가 얼어붙어도 좋아
아니 피가 날 때까지
너의 이야기
들어줄 수 있어
어쩔 거야
가을이 타버린 자리
어느 남자의
한숨만 남았네.

어버이날

꽃에 속내를 빠트리다
아들이 크는 것을 놓치겠다

꽃의 시간을 그리다
어버이 꽃이 피어버린 것을 모르고

그렇게 그렇게
나도 나의 꽃을 피워내고 있음을.

행복

갯바람 숨어 있는 곳에
편한 시간을 낚는다고 해

앉아만 있어도 휴식이 되니
벚나무 위 참새들이 다가오네

엄마를 지키는 퍼그들의 눈빛
너희들을 책임지는 시절.

가을이

단풍이 수업을 나간다

단풍 곁 가을이
스카프를 올리게 하니

가을을
깊게 읽을 거야
낙엽을 안을 거야

가을을
사랑으로 읽을 거야
아이들 마음을 심을 거야

낙엽에
글자를 새길 거야
가을 사랑이 넘치도록.

마이산에

태풍이 흔든다
뒤집히고 깨져도
바퀴는 구르더라

탑사의
물벼락 폭포에도
환호를 지르는 변명

불쑥 맞는
속살 내민 능소화는
더 벗겨내야 하는 삶이라고

한없이 따스하고 차가운
바윗돌 틈 사이
들숨과 날숨 길을 찾는구나

지독한 암벽 사랑을
꿈꿔낸 물아일체
그 희망 이루었네.

응원

단풍 오색을
가슴에 품고
가을을 태우는 이야

두근거리던
너의 숨소리를
흙빛으로 물들이고

열정을 다한
건강한 너의 욕심은
벗들을 지키며 일어났지

설렘이 가득해서
사뿐사뿐 밟아내는
일상이 의미 있어라

골골했던 가을은
켜켜이 쌓아 올린
기억과 기록으로
한을 풀어내라고

애끓은 숫자는 잊어라
건너갔던 이성도 찾아라
다시 오늘을 걸어보자.

너도 꽃

하늘과 땅 사이
긴 날개 구름에 기대
창가는 찬비를 잡는구나

사람들은 설렘을 안고
하늘은 기쁨을 담고
서늘한 창공 안아주었지

조잘조잘
봄소식 속삭여도
그대 곁에선 외로운 잡담

그래도 너에게 지치지 않아

비상구 옆 우리 자리
추억을 꺼내오는 찰나
두려움이 깨어나기도 해

나는 너와 여행한다
함께 떠나 있어도
허공 속에서 혼자 노닐고

그래도 외로움의 바다는 아냐

겨울이 흔들고
봄비가 올린 꽃들 속에
우산 안에 나를 넣었지

꽃이 피어 있어도
피어 있지 않아도
너도 그 꽃 중 하나.

외쳐라

만약
기다린다면
그와
가까웠던
시절을 떠올려라

만약
기다리지 못한다면
지금 여기서
그에게
사랑을 외쳐라.

오로지 나만

당신은
황량한
물가에
들지 않았다

나만
오로지 나만
당신의
물가에서
서성인다.

언제부터

언제부터
가을 앓이가 생겨났다
심리적 홀로서기인 척
두꺼운 옷을 준비하고
하얀 눈을 기다리고
정원의 눈꽃이 되어 줄
목수국의 꽃의 볼에
마음을 빼앗기기도 하지
겨울이 숨겨놓은
정원의 빛을 이야기하기도
겨울을 익힌 이들이
짐짓 봄을 시샘하며
꽃씨들의 파란 눈이
반란을 일으킨다네
지친 심장이 깨어나듯
언제부터
꽃눈을 사랑하게 되었다고
그 계절에 만나야 할 꽃은

사랑했던 나무를 잊지 않아
연약한 잎은
늙은 가지에 애정을 고하고
돌아 돌아 돌아왔지만
그것이 지름길이었다는 것을
꽃눈도 잎눈도
꽃잎도 나뭇잎도
사랑하기 위해 최선을 다한다
사랑받기 위해서도
언제부터
빛나던 오늘을
뒤로 미루지 않고
가슴의 거리가
멀어지지 않게
사랑해야겠다고.